Bywyd Fferm

Chris S Stephens

Addasiad Elin Meek

D0432931

"Bibby's Dairy Meal"

MONTH IX **SEPTEMBER** 1920

SUN.		5	12	19	26
Mon.		6	13	20	27
Tue.		7	14	21	28
Wed.	1	8	15	22	29
Thu.	2	9	16	23	30
Fri.	3	10	17	24	
Sat.	4	11	18	25	

WE CANNOT AFFORD TO USE ANY OTHER.

YN Y WASG.   YN Y WASG.

Almanac y Cymro

AM 1908.

Yr HYNAF o'r ALMANACIAU CYMREIG

CASGLEDIG YN OL RHEOLAU SERYDDOL

FRANCIS + MOORE.

Cynnwys

Fel yr hwch yn yr haidd.

A VERY HAPPY CHRISTMAS

I KNOW YOU LIKE SOME FRUIT TO MUNCH
SO, THOUGH YOU DIDN'T ASK IT,
I'VE BROUGHT YOU, PIGGIES, FOR YOUR LUNCH
AN APPLE FROM MY BASKET!

Bywyd Fferm

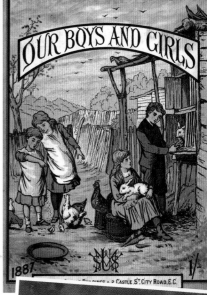

Mae pob plentyn yn dwlu ar gael fferm yn degan. Mae chwarae â thractorau ac anifeiliaid bach yn hwyl. Ond nid chwarae plant yw ffermio, chwaith. Ar ôl canrifoedd yn crwydro o le i le, dechreuodd pobl aros mewn un man i ffermio. Ers hynny, mae ffermwyr wedi gorfod brwydro yn erbyn y tywydd i dyfu cnydau a magu anifeiliaid.

Mae plant wedi bod yn helpu ar y fferm erioed – yn casglu wyau o dan gloddiau ac ambell das wair, neu'n bwydo'r moch bach, fel y ferch hapus ar y cerdyn post isod. Weithiau mae plant wedi gorfod gweithio'n galed i gasglu cerrig neu godi tatws, neu sefyll fel bwgan brain i gadw'r adar draw o'r cnydau. Fe welwch chi blant o hyd yn sefyll ar heolydd bach y wlad a'u breichiau ar led i atal defaid neu wartheg rhag crwydro.

'Slawer dydd, byddai *almanaciau* ar gael i roi gwybodaeth i ffermwyr – er enghraifft, calendr neu ddyddiadur, sut i ofalu am eu hanifeiliaid, sut i dyfu cnydau, gwybodaeth am y tywydd ac ati. Hefyd roedd ffeithiau, ystadegau, jôcs a barddoniaeth ynddyn nhw. Un o'r rhai enwocaf oedd *The Old Farmers' Almanack*, a gyhoeddwyd gyntaf yn America ym 1793.

Ond roedd hi'n amhosibl i almanaciau roi cyngor am bopeth a allai ddigwydd i ffermwr. Yn y llun mae Mr Fred Williams a'i wraig Mary Ann o Gamros, yn gwisgo eu dillad gorau. Cafodd Fred Williams ddamwain gas pan ddaeth anifail a'i 'fwrw i'r llawr a'i anafu'. Mae'n debyg na wellodd e byth yn iawn. Mae ei or-wyres yn dweud yr hanes amdano'n mynd i glymu darn o bren wrth gyrn tarw a oedd wedi bod yn torri drwy gloddiau. Ond doedd y tarw ddim yn fodlon. Efallai nad oedd Fred Williams wedi mynd i weld beth oedd gan yr almanac yn gyngor ar gyfer y diwrnod hwnnw!

3

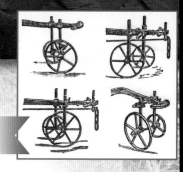

Aradr ac Aredig

Yn aml iawn, bydd yr aredig yn digwydd ar ddechrau blwyddyn y fferm. Rhaid torri'r tir yn rhesi dwfn, hir a llyfn, fel bod y tir yn cael ei droi cyn hau'r had. I wneud hyn flynyddoedd yn ôl, roedd angen aradr, pâr o geffylau i dynnu'r aradr, gwedd i'w clymu at ei gilydd, a rhywun i'w harwain, sef gyrrwr y gwedd. Yn nechrau'r gwanwyn, byddai'r aradr yn cael ei thynnu allan o dan fwrdd y gegin yn y ffermdy a'i bendithio mewn gwasanaeth arbennig yn yr eglwys ar ŵyl y Ceiliau. Byddai pob gyrrwr gwedd lleol yn gwisgo gwisg ffansi ac yn llusgo'i aradr drwy'r strydoedd. Bydden nhw'n bygwth aredig gerddi pobl pe na baen nhw'n cael ychydig geiniogau.

Cafodd aradr, un o'r rhai haearn cyntaf yng Nghymru, ei hadeiladu yn Sir Gâr gan y gof Tom Morris, neu Twm Gof. Cynlluniodd Joseph Evans o Foncath sawl aradr poblogaidd. Roedd cynlluniau 'Rhif 6' a 'Rhif 7' yn ddefnyddiol iawn i aredig caeau serth, ac aeth rhai pobl â nhw wrth ymfudo i Awstralia ac America. Roedd gofaint a chrefftwyr offer ar gael i werthu peiriannau newydd neu i gywiro'r hen rai, fel mae cwmnïau ffermio mawr yn ei wneud heddiw.

Hyd at 150 mlynedd yn ôl, ychen, nid ceffylau, oedd yn tynnu'r aradr. Yn yr Oesoedd Canol, roedd 12 ych wedi eu clymu'n barau mewn gwedd aredig. Mae chwedl *Ychen Bannog Llanddewibrefi* yn enwog. Roedd y ddau ych yn enfawr, felly cawson nhw eu defnyddio i dynnu carreg anferth o'r ddaear i adeiladu'r eglwys leol. Yn ôl y stori, bu'r ychen yn tynnu cymaint nes i un ohonyn nhw syrthio i'r llawr a marw. Brefodd y llall naw gwaith. Ar y nawfed fref, dyma Craig y Foelallt, y graig fawr roedden nhw'n ei dringo, yn hollti'n ddwy. Felly gallai'r ych a oedd ar ôl dynnu'r llwyth trwm drwyddi.

4

Roedd y gyrwyr yn gofalu am eu hanifeiliaid gwedd yn ofalus iawn. Roedd rhai hyd yn oed yn cysgu wrth eu hochr. Yn aml byddai'r gyrrwr gwedd yn canu cân iddyn nhw i'w hannog wrth aredig. Mae 'Gyrru'r Ychen' yn gân werin lle mae'r gyrrwr yn siarad â'i ychen:

> 'Ho, dere, dere'r Du
> Mae heddiw'n fore tirion,
> Mae'r adar bach yn canu
> Yn bêr o'r gwiail irion.
> Ho, ymlaen; ho, ymlaen, ho!
>
> Ho, dere dithau'r Glas,
> Mae heddiw'n des ysblennydd,
> A'r hedydd bach yn codi
> Uwchben i'r las wybrennydd;
> Ho, ymlaen; ho, ymlaen, ho!
>
> Ho, dere'r Du a'r Glas,
> Mae'r dalar dan y meillion,
> Cewch egwyl yno i bori,
> Ho-ho, fy hen gyfeillion;
> Ho, ymlaen; ho, ymlaen, ho!'

Dyma hen bennill lle mae'r gyrrwr yn siarad â'i ychen:

> 'O dewch, yr ychen gwirion,
> Hir gyrnau, garnau duon,
>   Yn ddarnau chwelwch chi y tir,
> Ac ni gawn lafur ddigon.'

Roedd cystadlaethau aredig â gwedd o geffylau'n digwydd ar ddechrau'r ugeinfed ganrif, ac weithiau roedd cwpan arian i'r enillydd. Heddiw, welwch chi ddim ychen neu geffylau gwedd yn tynnu aradr. Dim ond tractorau mawr smart gydag enwau fel Same, Deutz, John Deere a Massey Ferguson, wrth gwrs. A dydy ffermwyr ddim yn hau â llaw fel roedden nhw. Mae driliau hau modern yn gallu hau'r had a rhoi gwrtaith yn y tir ar yr un pryd!

Roedd cwpanau a jygiau wedi'u haddurno â llun aradr neu arwyddair – 'God Speed the Plough' a 'Industry Produces Wealth' yn gyffredin ar dresel neu silff mewn ffermdai neu dyddynnod gweithwyr fferm.

'Nid ar redeg mae aredig' – byddwch ofalus ac amyneddgar ym mhob sefyllfa.

Ieir a Cheiliogod

Pam nad yw'r Ceiliog yn gallu hedfan yn uwch na Drws y Stabl
Chwedl o'r Japanaeg

Amser maith yn ôl, nid aderyn buarth fferm oedd y ceiliog. Roedd ganddo adenydd cryf fel eryr a gallai hedfan ymhell, bell i ffwrdd. Daeth yn un o weision y Creawdwr, a chafodd ei anfon i'r Ddaear i weld bod popeth yn dda. Cyn iddo adael, atgoffodd y Creawdwr ef fod gwaith arall yn ei ddisgwyl yn y Nefoedd, felly addawodd y ceiliog ddod yn ôl cyn gynted â phosibl. Yna, i ffwrdd ag ef, a phlu aur ei gynffon a'i grib coch yn fflachio.

Dyma'r Ceiliog yn hedfan i lawr drwy niwloedd y gofod a thrwy gymylau amser tan iddo gyrraedd gwlad lle roedd yr haul yn tywynnu bob amser, y coed yn bwrw cysgod bob amser a'r nentydd yn oer bob amser. O'r diwedd clwydodd mewn buarth lle roedd plant y ffermwr yn chwarae, a gwartheg a cheffylau'n edrych yn fodlon dros ddrysau'r beudy a'r stabl.

'Dyma le braf!' meddyliodd wrth grafu ar y buarth. 'Dyma fwyd gwych!' meddyliodd, gan lowcio'r grawn o gwmpas drws yr ysgubor. 'Dyma'r bywyd!' meddyliodd. Roedd wrth ei fodd yn y Nefoedd ar y Ddaear. Anghofiodd bopeth am ei addewid ac arhosodd am rai dyddiau.

Aeth y dyddiau'n wythnosau. Bob bore gyda'r wawr, byddai'r ceiliog yn dihuno ac yn canu'n groch 'Coc-a-dwdl-dŵ!' i ddweud wrth yr haul ei fod yn hapus. Ond un bore dyma'r hen haul doeth yn dweud, 'Mae'r aderyn balch yna mewn helynt!' a mynd i guddio y tu ôl i'r cwmwl agosaf.

Dyna pryd cofiodd y ceiliog am eiriau'r Creawdwr. Dyma fe'n brysio i hedfan yn ôl i'r Nefoedd. Ond roedd hi'n rhy hwyr iddo hedfan! Ar ôl cymaint o fwyta, ni allai ei adenydd ddal ei bwysau. Roedd ei goesau wedi tyfu'n hir a'i adenydd wedi gwanhau. Rhedodd o gwmpas y buarth a cheisio codi i'r awyr. Ond disgyn i'r Ddaear wnaeth y ceiliog, yn blu i gyd. Dringodd i ben y das wair a cheisio codi o'r fan honno – ond glaniodd yn swp ar y domen ddail. Nid oedd wedi gwrando ar y Creawdwr, ac ni fyddai byth eto'n codi fel eryr y tu hwnt i niwloedd y gofod a chymylau amser. O'r diwrnod hwnnw ymlaen, ni fyddai'n gallu gwneud dim ond canu wrth i'r haul godi, cerdded o gwmpas y buarth a hedfan ddim uwch na drws y stabl.

Gwraig y fferm fyddai fel arfer yn gofalu am yr ieir. Yn yr hen amser byddai gwragedd yn mynd ag wyau a dofednod, sef ieir, gwyddau a thwrcwn fel arfer, i'r farchnad yn y dref bob wythnos. Weithiau byddai'n rhaid i ffermwyr yng Nghymru dalu trethi arbennig i'r meistri tir ar ddydd Mawrth Ynyd (Crempog) – sef yr wyau roedd rhaid eu defnyddio cyn dechrau ymprydio ar ddydd Mercher Lludw cyn y Pasg. *'Mae'n dal yn arferiad ar rai ystadau i wneud taliadau i'r meistr tir o'r enw Ynyd neu Gieir Ynyd. Fel arfer, un iâr ac ugain wy yw'r taliad. Mewn un achos, roedd yn un ŵydd dew a deugain wy.'* (Comisiwn Tir Cymru 1895)

Mae'r cerdyn post can mlwydd oed yma, a bostiwyd yn y Fenni, yn dangos dwy wraig fferm o Gymru'n barod i werthu eu nwyddau. Roedd cardiau post fel hyn yn cael eu cynhyrchu ar gyfer twristiaid o Loegr. Byddai'r gwragedd fferm yn cael arian am wisgo i fyny a sefyll o flaen y camera gyda'u basgedi a'u dofednod!

Mae nifer o ddywediadau Cymraeg yn gysylltiedig â cheiliogod a ieir. Os bydd person yn edrych yn drist, mae 'fel iâr ar y glaw', ac mae ceiliog yn

canu'n gynnar yn y bore yn addo tywydd braf. Mae'r ddihareb 'Lle crafa'r iâr y piga'r cyw' yn dweud bod plentyn yn siŵr o ddilyn ei rieni. Roedd pobl hefyd yn credu, os bydd y ceiliog yn canu ar drothwy'r drws, byddai person dieithr yn dod i'r tŷ cyn nos. Dyma rai rhigymau Cymraeg yn sôn am ieir a cheiliogod:

> *Mae gen i iâr a cheiliog*
> *A brynais ar ddydd Iau;*
> *Mae'r iâr yn dodwy wy bob dydd*
> *A'r ceiliog yn dodwy dau.*

> *Ceiliog bach y dandi*
> *Yn crïo drwy y nos,*
> *Eisiau benthyg ceiniog*
> *I brynu gwasgod goch.*

Welsh Women.

OH, MRS HEN! HOW KIND IT WAS TO LEAVE AN EGG JUST HERE, WHERE I'D BE SURE TO FIND IT. YES, YOU REALLY ARE A DEAR!

Farm Life. Feeding the Chickens.

Lle crafa'r iâr
y piga'r cyw.

Gwartheg Duon
a Pharciau Gwynion

Pan fydd pobl yn meddwl am wartheg yng Nghymru, am Wartheg Duon Cymreig maen nhw'n meddwl fel arfer. Dyma'r gwartheg byr â blew cyrliog du a welwch chi mewn sioeau ar hyd a lled Cymru a'r byd. Mae'r Gwartheg Duon wedi bod yng Nghymru ers y cyfnod cyn y Rhufeiniaid. Ond dros y canrifoedd maen nhw wedi cael eu bridio gyda gwartheg eraill i gael y maint a'r siâp perffaith. Dyma'r gwartheg oedd yn cael eu gyrru i'w gwerthu yn ne Lloegr, lle roedd pobl y trefi eisiau cig eidion da a blasus. Roedd sawl gyrr ohonynt yn mynd o Ogledd Cymru, Sir Gâr, Ceredigion, Penfro a Morgannwg.

Mae'r paentiad olew yma gan William Sheils: 'Wild or White Forrest breed. Cow, eight years old from Haverfordwest in the County of Pembroke' yn hongian yn yr Ysgol Astudiaethau Milfeddygol Frenhinol yng Nghaeredin. Cafodd ei beintio yn y 1830au i Mr David Low, yr Athro Amaethyddiaeth yno, i'w gynnwys yn ei lyfr mawr newydd am fridiau anifeiliaid fferm Prydain.

Mae gwartheg gwynion enwog yng Nghymru hefyd. Gallwch ddarllen am hanes gyrr gwartheg enwog y Parc Gwyn o Landeilo mor bell yn ôl â 1898, ac maen nhw'n dal i'w gweld ym mharc yr Ymddiriedolaeth Genedlaethol yn Ninefwr. Ond yn ôl traddodiad, maen nhw'n llawer hŷn na hynny, ac yn mynd yn ôl i'r drydedd ganrif ar ddeg. Erbyn heddiw, fe welwch wartheg gwynion eraill mewn sioeau – y Charolais enfawr a ddaeth yn wreiddiol o Charolles yng nghanolbarth Ffrainc.

Mae sôn am wartheg gwynion mewn nifer o chwedlau Cymraeg. Pan fydd Morwyn Llyn y Fan yn cael ei tharo am y trydydd tro gan ei gŵr, mae'n mynd yn ôl i'r llyn, ac yn galw ar ei gwartheg i'w dilyn (nhw oedd ei hanrheg briodas).

'Mu wlfrech, Moelfrech;
    Mu olfrech, Gwynfrech;
Pedair cae tonfrech,
Yr hen wynebwen, a'r las Geigen,
Gyda'r tarw gwyn, o lys y brenin;
A'r llo du bach, sydd ar y bach,
Dere dithe yn iach adre.
Pedwar eidion glas, sydd ar y maes,
Deuwch chwithe, yn iach adref.'

Mae chwedl arall o ardal Aberdyfi am y Fuwch Laethwen Lefrith ger Llyn Barfog. Roedd hi wedi crwydro o blith gwartheg y tylwyth teg, ac yn rhoi llawer o laeth gwyn hufennog i'r pentrefwyr. Ond aeth y ffermwr yn farus a phenderfynu ei phesgi, sef ei bwydo i'w gwneud hi'n dewach, i'w lladd am ei chig. Wrth iddo godi ei gyllell

Mewn stori arall eto, Y Wrach a'r Fuwch Wen, mae gwrach eiddigeddus yn mynd i gasglu llaeth o fuwch wen hudol sydd wedi bod yn rhoi llaeth i'r pentrefwyr yn ystod tywydd sych. Mae ei chynllun yn methu – caiff ei throi'n bentwr o gerrig, ac mae'r fuwch yn diflannu am byth!

i'w lladd, daeth dyn dieithr mewn clogyn gwyrdd i alw arni hi a'i holl loi bach yn ôl i'r llyn.

Dyma bennill o gân werin 'Cainc yr Odryddes':

Hai, how, how, Brothen i'r buarth,
Hai, how, how, Brothen i'r buarth,
Hai, how, how, Brothen fach, Brothen fach;
Hai, how, how, Hai, how, how, Hai, how, how.

Dyma lun o 1802 gan J Whessell 'The Durham Ox'. Roedd pobl yn teithio o bell i weld yr ychen rhyfeddol hwn ac i brynu llun ohono. Mae'n debyg ei fod yn mesur 5 troedfedd 6 modfedd i'r ysgwydd (168cm) ac 11 troedfedd 2 fodfedd (340cm) o hyd. Mae'r mesuriadau hyn a nifer o rai eraill wedi'u hysgrifennu o dan y llun.

Cynnyrch Llaeth

Gwneud menyn ar fferm Cwmdwy-sarmen, Rhandir-mwyn.

Mae'r rhan fwyaf o deuluoedd heddiw'n prynu eu llaeth mewn poteli plastig yn yr archfarchnad. Ond mae llawer o bobl yn cofio'r caniau llaeth.

"*Byddai'n rhaid i ni redeg i ben draw'r stryd gyda jwg laeth fawr a darn chwe cheiniog. Ar ôl i'r dyn llaeth lenwi'r jwg â lletwad metel, bydden ni'n rhoi darn bach o les drosto â mwclis yn hongian o'r ymylon rhag iddo hedfan i ffwrdd. Felly fyddai'r pryfed ddim yn gallu mynd at y llaeth. Doedd dim oergell gyda ni felly byddai'r llaeth yn cael ei gadw'n oer ar ddarn o lechen yn y pantri.*"

Dyma lun o flodyn llefrith neu laeth y gaseg.

Roedd y merched oedd yn godro i fod yn hardd – maen nhw mewn rhigymau a hwiangerddi – ond roedd godro â llaw yn waith caled ac yn gwneud i'r dwylo galedu, yn enwedig yn y gaeaf.

Byddai hi'n anghyfforddus eistedd ar stôl deirtroed fel y bobl yma'n godro yn y llun uchod – dyma griw yn yr awyr agored yn Llys-y-frân yn ystod yr Ail Ryfel Byd. Roedd cario bwcedi trwm hefyd yn blino'r ysgwyddau, hyd yn oed wrth wisgo iau, sef un darn o bren hir ar draws y ddwy ysgwydd, i'w cadw'n gytbwys:

Ble rwyt ti'n myned, fy morwyn ffein i?
Myned i odro, o syr, mynte hi.
Dwy foch goch a dau lygad du,
Yn y baw a'r llaca, o syr, gwelwch fi.

Mi welais ferch yn godro
A menig am ei dwylo,
Hidlo'r llaeth drwy glust ei chap,
A merch Siôn Cnap oedd honno!

Roedd gwneud menyn a'i werthu yn y farchnad leol yn rhoi ychydig arian ychwanegol i deuluoedd fferm. Er eich bod yn gallu gwneud menyn â llaw, roedd defnyddio corddwr, fel y gwelwch ar y daflen hon gan gwmni byd-enwog Llewellin, Hwlffordd, yn gwneud pethau'n llawer haws. Weithiau byddai'r menyn yn cael ei addurno â lluniau wedi'u gwasgu iddo gan ddefnyddio mowldiau o bren sycamorwydden fel arfer.

Byddai gwragedd a morynion fferm yn arfer gwneud caws ar y fferm gan ddefnyddio cawswasg – dyma lun o gawswasg o amgueddfa Sir Gâr isod. Y caws enwocaf yng Nghymru oedd Caws Caerffili. Roedd yn rhan bwysig o fwyd gweithwyr glo a haearn Cymru yn y 19eg ganrif. Heddiw mae Cwmni Caws Eryri'n gwneud sawl cosyn bach o gaws â blasau gwahanol wedi'u gorchuddio mewn cwyr i'w cadw'n ffres. Teuluoedd sy'n dal i redeg llawer o gwmnïau gwneud caws yng Nghymru fel Llangloffan, Llanboidy a Chaws Cenarth.

Dyma bos i chi:
Dwmbwr-dambar
draw'n y siambar,
Dau bump yn dilyn pedwar.
Ateb: Morwyn laeth
yn godro buwch.

Sioeau, Marchnadoedd
a Ffeiriau Cyflogi

Mae pawb wrth eu bodd yn mynd i sioe amaethyddol, ac mae ambell sioe yn ddigwyddiad pwysig iawn yng nghalendr y ffermwyr. Bydd 200,000 o bobl yn ymweld â'r Sioe Frenhinol yn Llanelwedd bob blwyddyn. Bydd cyfle i weld gwartheg, defaid, ceffylau ac anifeiliaid fferm o bob math, heb anghofio gweithgareddau cefn gwlad fel treialon cŵn defaid, cneifio a chodi waliau sych.

Mae sioeau hefyd yn cael eu cynnal mewn sawl pentref yng Nghymru. Dyma gyfle i ffermwyr lleol gwrdd â'u cymdogion a chymryd rhan mewn cystadlaethau o bob math. Mae rhai o'r sioeau hyn wedi bod yn cael eu cynnal ers dros ddwy ganrif. Y cymdeithasau amaethyddol a drefnodd y sioeau cyntaf – fel Cymdeithas Amaethyddol Ynys Môn - er mwyn dangos y bridiau anifeiliaid gorau a'r planhigion a dulliau ffermio newydd i'r ffermwyr. Yn y cyfnod hwn, roedd cnydau a pheiriannau newydd yn ymddangos ac roedd y brenin ei hun, Siôr III (1760-1820) yn cael ei alw'n 'Farmer George' am ei fod yn mwynhau ffermio.

Gyrr o wartheg ifainc y tu allan i'r ysgol yn Heol Moorfield, Narberth, tua 1920.

Ffair ddefaid Cynwyd, Sir Ddinbych, tua 1900. Byddai miloedd o ddefaid yn cyfnewid dwylo yn y ffair hon a fyddai'n parhau am ddyddiau bob mis Hydref.

Yn y 1980au cynhyrchodd Theatr y Torch, Aberdaugleddau, ddrama o'r enw 'Y Ffair Gyflogi', wedi'i seilio ar ddigwyddiadau lleol go iawn.

Roedd ffeiriau a marchnadoedd anifeiliaid yn bwysig hefyd er mwyn prynu a gwerthu anifeiliaid. Mewn ardaloedd gwledig, peth cyffredin oedd gweld nifer enfawr o anifeiliaid yn cael eu gyrru drwy strydoedd tref ar ddiwrnod marchnad. Byddai ffeiriau arbennig ar gyfer defaid, gwartheg a moch yn cael eu cynnal ar wahanol ddyddiau ar hyd y flwyddyn. Byddai'r plant lleol yn cael diwrnod bach o wyliau ychwanegol o'r ysgol, efallai oherwydd bod cymaint ohonyn nhw'n absennol beth bynnag! Byddai'n amhosibl gweithio oherwydd sŵn yr holl frefu!

O'r Oesoedd Canol ymlaen roedd rhaid i weithwyr fferm fynd i farchnadoedd ar ddiwrnodau arbennig o'r flwyddyn i gael gwaith. Byddai'r ffermwyr yn dod i chwilio am weithwyr a bydden nhw'n cytuno ar gyflog. Yn ddiweddarach daeth deddfau gan y Senedd i sefydlu Ffeiriau Cyflogi, a dyma'r unig wyliau oedd gan weithwyr fferm. Fel arfer bydden nhw'n cael eu cynnal ar Ŵyl Fihangel (ar 29 Medi), ac ar Galan Mai yng Nghymru hefyd weithiau. Byddai'r gweithwyr yn sefyll ar hyd y stryd, gan geisio edrych ar eu gorau. Er mwyn dangos beth oedd eu gwaith, byddai pob bugail yn cario ffon, a phob gyrrwr gwedd yn cario chwip neu ffrwyn, ac efallai y byddai morwyn laeth yn gwisgo ffedog wen a chario ei llwy fenyn.

"Ym 1902 cefais fy nghyflogi am £5 y flwyddyn. Roeddwn i'n 12 oed, ac i ffwrdd â mi i weithio i groser. Ym 1906 yn Ffair Penfro, cefais fy nghyflogi i ffermwr. Roedd fy nhad yno, a'r ffermwr eisiau gwybod a oeddwn i'n gallu gyrru ceffylau. Doeddwn i ddim, ond dywedodd fy nhad y gallwn i ddysgu. Felly cefais £14 am y 12 mis yn gweithio ar y fferm, cyflog dda i ail was."

Pan eis i weini gyntaf,
Mi eis i Ddrws y Coed,
Y llecyn bach difyrraf
A welodd neb erioed;
Yr adar bach yn canu
A'r coed yn suo 'nghyd,
Mi dorris i fy nghalon
Er gwaetha'r rhain i gyd.

Defaid a Bugeiliaid

Er bod llawer o fridiau o ddefaid yn nyffrynnoedd Cymru, defaid mynydd Cymreig yw'r defaid enwocaf. Er eu bod yn llai na bridiau eraill, maen nhw'n wydn a'u cnu, sef eu gwlân, yn drwchus. Felly gallant fyw drwy dywydd caled a gofalu am eu hŵyn bach. Yn yr Oesoedd Canol roedd masnachwyr gwlân yn hoffi gwlân cochddu rhai o'r defaid, a'r cigyddion yn hoffi'r cig brau a blasus. Felly gan mlynedd yn ôl, dechreuodd ffermwyr ddethol y defaid duon yn arbennig i fridio ohonyn nhw, ac erbyn hyn mae defaid mynydd duon yn frid ar wahân.

Mr Christmas Griffith o Droedyrhiwfelin, Ceredigion, yw un o'r bugeiliaid olaf i farchogaeth ceffyl wrth ei waith.

Mae'n cofio mynd gyda'i dad i Gwm Ystwyth ar ddiwrnod cneifio:

"*Byddai nifer o gymdogion yn dod at ei gilydd i farchogaeth i'r fferm. Ar ôl cyrraedd, byddai'r ceffylau'n cael eu rhoi mewn cae cul. Yno, bydden nhw'n cicio ac ymladd – doedden nhw ddim yn adnabod ei gilydd. Bydden ni'r bechgyn yn cael hwyl wrth geisio eu dal cyn marchogaeth adref gyda'r nos ... Byddai rhyw ugain o bobl yn y cneifio ... byddai'r cneifwyr yn eistedd ar feinciau ac yn defnyddio gwellau, sef siswrn torri gwlân. Byddai'r defaid yn cael eu cario i'r siediau cneifio. Rwy'n cofio un dyn a oedd yn gallu cario pedair dafad ar y tro, dwy ym mhob braich! Wedyn byddai traed y defaid yn cael eu clymu â llinyn, gan ddefnyddio cwlwm oedd yn dod yn rhydd yn rhwydd, 'cwlwm llyngwn'. Ar ôl ei chneifio, byddai'r ddafad yn cael ei chario at ddyn arall i drin ei thraed, ac*

Christmas Griffith

Cyfaill blaidd, bugail diog.

Heddiw, mae'n haws casglu'r defaid ar feic 4x4 fel mae Dai Jones, Llanilar yn ei wneud. Mae'n fwy cyfleus i'w gŵn defaid Craig a Mick hefyd.

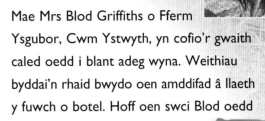

yna at y bachgen a fyddai'n rhoi nod y fferm arni (llythyren gyntaf enw'r fferm, efallai) â phyg neu dar. Ar ôl hyn i gyd, byddai rhywun yn gweiddi 'Llinyn!'. Byddai un ohonon ni'n tynnu'r cwlwm yn rhydd ac yn mynd â'r llinyn yn ôl at y cneifwyr, yn barod i glymu traed y ddafad nesaf. ”

Ers talwm, byddai bugeiliaid yn aml yn cerdded am filltiroedd dros y bryniau'n cario ffon gadarn a charn o asgwrn neu gorn wedi'i gerfio. Byddai bugail weithiau'n clipio clustiau'r defaid mewn ffordd arbennig – neu'n rhoi nod i ddangos pwy oedd yn berchen arnyn nhw petaen nhw'n crwydro. Heddiw, mae defaid â nodau o bob lliw a llun i'w gweld mewn marchnadoedd mawr ar hyd a lled Cymru.

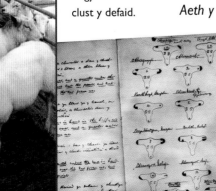

Cyfarwyddiadau ar gyfer nodau clust y defaid.

Mae Mrs Blod Griffiths o Fferm Ysgubor, Cwm Ystwyth, yn cofio'r gwaith caled oedd i blant adeg wyna. Weithiau byddai'n rhaid bwydo oen amddifad â llaeth y fuwch o botel. Hoff oen swci Blod oedd Gwen. *'Tyfodd Gwen yn ddafad fach ddrwg. Roedd hi'n arfer defnyddio ei chyrn i roi pwt i bobl ddieithr.'*

Efallai bod y rhigwm Cymraeg *'Bele, bele, bele, boc, Hala'r defaid bach i'r lloc'*, yn arfer cael ei ddefnyddio wrth berswadio plentyn bach i roi ei fysedd mewn maneg neu fysedd ei draed mewn hosan! (Lloc yw lle mae'r defaid yn cael eu cadw.) Mae rhigwm arall yn rhoi cyngor fel dihareb i fugeiliaid rhag gwario eu harian – er bod un ddafad yn gallu tyfu'n fil o ddefaid, mae'n hawdd iawn colli'r cwbwl eto:

Bum yn byw yn gynnil, gynnil,
Aeth un ddafad imi'n ddwyfil,
Bum yn byw yn afrad, afrad,
Aeth y ddwyfil yn un ddafad.

Bob

Mae Bob y ci yn gwybod
Beth yw ei waith bob dydd,
Ac aros fydd i'r bugail
I'w ollwng ef yn rhydd.

Ac yna fe ddaw'r chwiban
Yn glir i'w glustiau toc,
Ac fe fydd Bob yn casglu
Y defaid mewn i'r lloc.

Pan fydd y praidd
    mewn corlan
A'r bugail yn crynhoi,
Bydd Bob yn gwylio'r gatiau
Rhag ofn bydd un yn ffoi.

Ar ôl mynd nôl â'r defaid
A'r dydd i fynd yn hwyr,
Bydd Bob yn cysgu'n dawel
Ac wedi blino'n llwyr.

Ken Griffiths

15

Y Bugail a'r Brain

Chwedl o Fynydd Du

Ar lethrau dwyreiniol Mynydd Du, rhwng Capel-y-ffin a Longtown, roedd Rhys y bugail yn gofalu am braidd ei feistr. Tir comin oedd hwn, lle roedd defaid pawb yn pori a rhedeg ymysg ei gilydd. Rhys oedd hen fugail da cwm Honddu; roedd yn adnabod ei ddefaid a'i ddefaid yn ei adnabod ef. Dim ond chwibanu roedd rhaid iddo'i wneud a byddent yn rhedeg ato gan frefu.

Ar y bore oer yma o fis Mawrth, roedd y gwynt yn fain a brain duon yn dilyn bwncath unig yn yr awyr. Roedd dau frawd a oedd yn eiddigeddus o Rhys y bugail yn gwylio wrth i'w braidd redeg ato. Roeddent yn benderfynol o lofruddio'r hen ddyn a hawlio'i ddefaid.

Synhwyrodd Rhys eu bod ar berwyl drwg.

Dwy frân ddu:
Lwc dda i mi.

Wrth iddynt ddod yn nes, galwodd,

'Os gwnewch chi niwed i mi, bydd y brain yn gweiddi a dweud wrth y byd am yr hyn a wnaethoch.'

'Brain, yn wir!' meddai'r dynion wrth gydio yn ei freichiau.

'Does dim pwynt gweiddi,' chwarddodd y dynion wrth iddynt ei lofruddio.

'Ddaw'r byd byth i wybod,' meddai'r dynion wrth ei gladdu yng nghanol tyfiant rhedyn y llynedd.

A daeth y brain i hedfan yn gylchoedd uwch eu pennau: 'Crawc! Crawc! Crawc!'

Cafodd y corff ei ddarganfod yn ddiweddarach y flwyddyn honno, wrth hel y defaid o'r mynydd i'w gwerthu ym mis Medi. Ond wyddai neb sut roedd Rhys wedi marw. Yna, un noson, dyma ddyn a oedd yn plygu clawdd ar y bryn yn clywed dau frawd yn dadlau.

'Allaf i ddim diodde'r brain yna'n hedfan yn gylchoedd o gwmpas fy mhen; maen nhw'n fy ngwneud i'n wallgof,' meddai un.

'Dim ond brain ydyn nhw. Allan nhw ddim siarad,' meddai'r llall.

'Tybed? Wyt ti'n cofio melltith Rhys, y diwrnod y llofruddion ni fe? Fe ddwedodd y bydden nhw'n gweiddi – a dyna sy'n digwydd, o fore gwyn tan nos.'

Heb ddweud gair, dyma'r dyn oedd yn gwrando'n cropian o'r cae. Gwnaeth ei ffordd i'r pentref a dweud wrth bawb pwy lofruddiodd Rhys. Y noson honno, cafodd y ddau frawd eu crogi. A bu'r brain yn hedfan yn gylchoedd uwchben eu cyrff: 'Crawc! Crawc! Crawc!'

~

Maen nhw'n dweud bod pobl yn ardal Sarn Mellteyrn ar Benrhyn Llŷn sy'n gallu siarad iaith y brain. Anodd gwybod a yw hyn yn wir ai peidio – ond gwyddom fod plant yn arfer cael eu cyflogi gan ffermwyr i weiddi ar y brain a'r sguthanod i'w cadw draw o'r cnydau.

Ym 1869 cafwyd Comisiwn Brenhinol i edrych ar gyflogaeth plant ifainc a menywod. Fe welon nhw mai dim ond ychydig o blant oedd yn cael eu cyflogi fel hyn yng Nghymru. Yn wir, roedd un dyn a holwyd yn eithaf dig am nad oedd digon o fechgyn ar gael yng Ngheredigion!

'Roedd y Cyrnol Lewes, ynad sir, yn ei chael hi'n anodd i ddod o hyd i fachgen i gario bag post am dri chwarter milltir, ac yn fwy anodd eto i gyflogi bachgen i godi ofn ar y brain.'

Weithiau byddai'r bechgyn yn defnyddio blociau o bren i'w taro yn erbyn ei gilydd i ddychryn y brain, neu ruglen bren (rattle) fel y rhai rydyn ni'n mynd â nhw i gêmau pêl-droed. Roedd hel cerrig a chodi tatws yn waith arall i blant a menywod. Hyd yn oed heddiw, 'gwyliau tato' yw'r enw ar wyliau hanner tymor mis Hydref mewn rhai ardaloedd. Ac ar ôl mynd yn ôl i'r ysgol, rhaid peidio ysgrifennu ag ysgrifen traed brain!

Os byddai'r brain yn nythu'n uchel yn y coed, roedd pobl yn credu y byddai'n haf sych. Ond os byddai'r brain yn nythu'n isel, roedd haf gwael a stormus ar y ffordd.

Dydy pawb ddim yn cael cyfle i weithio, neu chwarae, ar fferm go iawn yng nghefn gwlad. Dyna pam mae teganau fferm bob amser wedi bod mor boblogaidd. Mae tŷ dol neu arch Noa'n ddigon diddorol, ond mae cael eich fferm eich hun ar garped o ddefnydd gwyrdd hyd yn oed yn well! Gallwch symud y gwartheg o gwmpas, medi'r gwenith a thrin y tir heb symud o'r lolfa. Gall pob plentyn fod yn ffermwr am ddiwrnod!

Roedd y bobl a'r anifeiliaid bach cyntaf wedi'u gwneud o blwm, y cerbydau o dun ac adeiladau'r fferm o bren. Mae hen deganau fferm o Brydain, yn dractorau ac yn offer, wedi dod yn boblogaidd gan gasglwyr. Erbyn heddiw mae popeth wedi ei wneud o blastig sydd bron yn amhosibl ei dorri. Ond mae'n dal yn sbort gwneud eich fferm eich hun o flychau cardfwrdd a defnyddio gwellt i wneud tas wair.

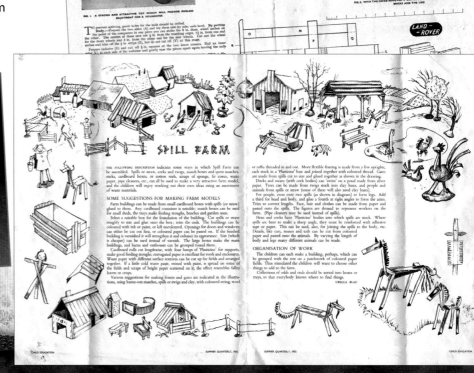

18

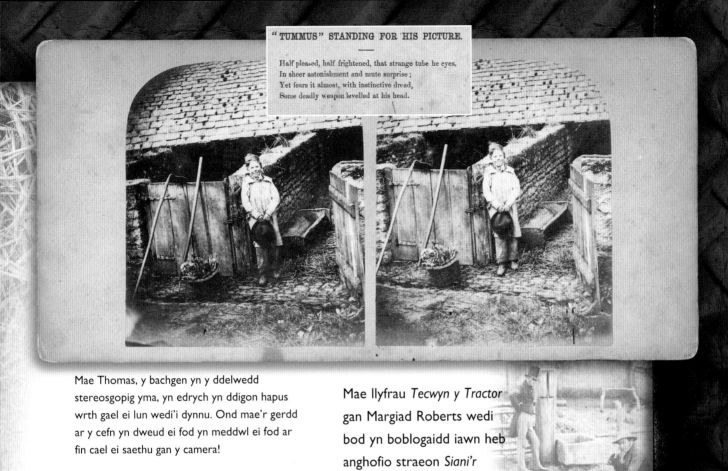

"TUMMUS" STANDING FOR HIS PICTURE.

Half pleased, half frightened, that strange tube he eyes,
In sheer astonishment and mute surprise;
Yet fears it almost, with instinctive dread,
Some deadly weapon levelled at his head.

Mae Thomas, y bachgen yn y ddelwedd stereosgopig yma, yn edrych yn ddigon hapus wrth gael ei lun wedi'i dynnu. Ond mae'r gerdd ar y cefn yn dweud ei fod yn meddwl ei fod ar fin cael ei saethu gan y camera!

Llyfr ffermio oedd un o'r llyfrau 'Puffin' Saesneg cyntaf a gyhoeddwyd gan Penguin ym 1941, *Worzel Gummidge* gan Barbara Euphan Todd. Anfonodd Enid Blyton griw 'Famous Five' i ddatrys sawl dirgelwch ar ffermydd yng Nghymru a Lloegr.

Mae llyfrau *Tecwyn y Tractor* gan Margiad Roberts wedi bod yn boblogaidd iawn heb anghofio straeon *Siani'r Shetland*.

Heddiw, gallwn ddarllen llyfrau gwybodaeth am amaethyddiaeth neu wylio rhaglenni fel 'Cefn Gwlad' i ddysgu rhagor am ffermio. Ond cyn i ffilmiau a theledu gael eu dyfeisio, roedd plant Oes Victoria'n dysgu am bethau newydd drwy edrych ar ffotograffau drwy stereosgop. Roedd hwn yn cyfuno dau lun yn union yr un peth i roi un ddelwedd 3D. Hefyd byddai'r plant yn gwylio sioe sleidiau syml o ffotograffau neu luniau ar sgrin fawr.

Worzel Gummidge
Barbara Euphan

A Puffin Book 3/6

O, Diolch, Nain!
Rob Lewis

Addasiad Elin Meek

SIANI'R SHETLAND

ANWEN FRANCIS

Y Porthmyn

Roedd porthmyn yn gyrru gwartheg ar hyd heolydd neu lwybrau ar draws Cymru i'w gwerthu ym marchnadoedd gwartheg de ddwyrain Lloegr. Yn ôl haneswyr, ddau gan mlynedd yn ôl, roedd tua 6,000 o wartheg yn dod o Benrhyn Llŷn bob blwyddyn, 10,000 o Sir Fôn a 30,000 drwy ganolbarth Cymru i Henffordd! Llawer o wartheg a llawer o sŵn. Byddai'r gwartheg i'w clywed yn dod o bell – sŵn carnau'r gwartheg a sŵn y dynion yn gweiddi 'Heiptro, Ho!'.

Byddai'r gwartheg yn cael eu pedoli'n union fel ceffylau i warchod eu traed ar y daith hir. Weithiau byddai gofaint yn mynd gyda'r porthmyn rhag ofn bod eisiau trwsio pedolau, neu byddai'r dynion yn mynd â phedolau a hoelion byr sbâr wedi'u lapio mewn darn o fraster bacwn fel na fydden nhw'n rhydu. Roedd y porthmyn yn gwneud gwaith pwysig yn cario newyddion, llythyrau ac arian i'w meistri neu'r cymdogion. Sefydlon nhw fanciau hefyd, fel Banc yr Eidion Du yn Llanymddyfri, i gadw eu harian yn ddiogel.

Er mai gwartheg yn bennaf oedd yn cael eu 'gyrru' drwy Gymru, byddai defaid a moch yn cael eu symud fel hyn hefyd – a gwyddau a thyrcwn hyd yn oed! Mae'n debyg y byddai gwyddau'n cael eu gyrru ar hyd Stryd y Gwyddau yng Nghaerfyrddin i roi pyg ar eu traed. Yn y pen draw, byddai'r gwyddau'n cyrraedd platiau ar fyrddau pobl gyfoethog yn Lloegr.

Pan fyddai'r porthmyn yn defnyddio ffyrdd a phontydd, byddai'n rhaid aros wrth dollborth yn aml i dalu toll, yn union fel mae gyrwyr yn talu heddiw ar Bont Hafren; roedd angen yr arian i drwsio'r ffyrdd. Roedd y prisiau i'w talu wedi'u peintio'n eglur ar fyrddau i bawb eu gweld, fel yr un isod.

Hefyd byddai'r porthmyn yn gorfod talu am gael pori eu gwartheg yng nghae ffermwr dros nos. Fel arfer, y pris oedd hanner ceiniog y fuwch.

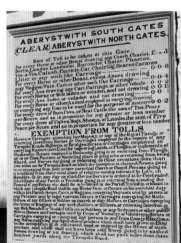

Mae'r rhestr brisiau yma ar gyfer tollborth Aberystwyth yn dweud yn eglur: 'For every drove of Oxen, Cows or Neat Cattle the sum of Ten Pence per score' (20 anifail).

20

Hen dŷ tafarn Stockbridge lle roedd porthmyn o Gymru'n aros.

Mae enwau strydoedd yn Lloegr fel 'Halfpenny Lane' neu 'Halfpenny Fields' yn dangos bod y porthmyn yn arfer aros yno. Yng nghanol Stockbridge yn Ne Lloegr mae man lle roedd porthmyn yn arfer aros. Ar hen dŷ tafarn o friciau coch mae hysbyseb Cymraeg a ysgrifennwyd ddwy ganrif yn ôl: *Gwair tymherus porfa flasus… Cwrw da cwâl cysurus*, felly roedd yno rywbeth i'r gwartheg a'r dynion.

Mae llawer o dafarnau eraill ag enwau fel 'The Drovers' Arms' a 'The Black Bull' a oedd yn cynnig lle da i'r porthmyn. Ond byddai eu bechgyn yn cysgu y tu allan o dan y cloddiau i warchod y gwartheg neu'r defaid rhag lladron anifeiliaid.

Roedd croesi aberoedd ac afonydd yn waith peryglus i borthmyn. Byddai hyd at 400 o wartheg yn cael eu cludo o Sir Fôn drwy gerrynt Afon Menai. Boddodd Tom Bach o Erwd wrth gludo gwartheg ar draws Afon Gwy mewn cwch yn y 19eg ganrif. Aeth y gwartheg i gyd i un pen o'r cwch, a'i chwalu. Achubwyd y ddau borthmon – llwyddon nhw i gydio yng nghynffonau'r anifeiliaid wrth iddyn nhw nofio i lan yr afon!

Ceffylau, Merlod ac Asynnod

Mae merlod mynydd o Gymru'n rhai o'r anifeiliaid bach harddaf yn y wlad. Maen nhw wedi bod yn rhan o dirlun gwyllt Cymru ers tro byd. Ceir penglog un ferlen 'Dyoll Starlight' yn yr Amgueddfa Brydeinig yn Llundain. Mae ceffylau bach eraill, fel ceffylau Shetland, hefyd yn boblogaidd mewn sioeau yn ceisio ennill 'rosette' coch am neidio neu 'dressage'.

Roedd y cob Cymreig, ceffyl mwy cadarn oedd yn enwog am drotian, hefyd yn cael ei ddefnyddio i weithio ar ffermydd. Ar ddydd Sul, byddai wedi cael ei frwsio'n lân a'i osod wrth y trap i fynd â Mam-gu i'r capel!

Roedd llawer o deuluoedd yn defnyddio ceffylau mewn trap i fynd â nhw o le i le. Cerbyd bychan ysgafn oedd 'trap' a byddai pobl fel Mrs Jane Barrow o Tan-y-Castell, Stryd y Felin, Rhuthun yn llogi trapiau i bobl fusnes a thwristiaid, yn ogystal â gwerthu dofednod, cynnyrch llaeth, cwningod a ffesantod yn y 1890au.

Ar y plât hwn i blentyn o Grochenwaith Abertawe o tua 1840, mae pâr o geffylau gwedd yn tynnu rholer trwm dros y tir.

'Anodd tynnu cast o hen geffyl' – anodd newid hen berson.

Erbyn heddiw, gallwn fynd i wylio ceffylau gwedd fel hwn yn dangos sut roedd tasgau amaethyddol yn arfer cael eu gwneud.

Asynnod yn cario basgedi o gocos ar hyd traeth Glanyferi.

Byddai ceffylau gwedd yn helpu ffermwyr i drin y tir, ac i dynnu cartiau a wagenni cyn i'r tractor gael ei ddyfeisio.

Ar nos Galan, byddai dynion yn cario'r 'Fari Lwyd' (penglog ceffyl ar bolyn o dan gynfasen wen) o gwmpas y tai i ofyn am fwyd a chwrw.

Mae plant yn mwynhau darllen am geffylau fel Dart, ceffyl Twm Siôn Cati, yn nofelau T. Llew Jones a Siani'r Shetland yn hanesion Anwen Francis.

Cân fach arbennig sy'n cael ei chanu i blentyn bach ar liniau ei fam neu berthynas yw 'Ceffyl Bach'. Bydd y plentyn bach yn cael ei godi i fyny ac i lawr wrth ganu'r gân ac yn cael ei ollwng yn ofalus rhwng coesau'r canwr wrth gyrraedd y gair 'Cwympo':

> Gee! ceffyl bach yn cario ni'n dau
> Dros y mynydd i hela cnau;
> Dŵr yn yr afon a'r cerrig yn slic:
> Cwympo ni'n dau, wel dyna i chi dric!

Dyma gwlwm tafod gyda dwy linell sy'n ailadrodd am yn ôl:

> Caseg winau, coesau gwynion,
> Ffroenwen denau, carnau duon.
> Carnau duon, ffroenwen denau,
> Coesau gwynion, caseg winau.

Mae'r gân 'Migildi Magildi' yn sôn am y gof yn pedoli ceffylau, a diwedd pob llinell yn dangos sut roedd yn taro ei forthwyl ar yr eingion:

> Ffeind a difyr ydyw gweled, Migildi, magildi,
>   hei, now, now,
> Drws yr efail yn agored, Migildi, magildi,
>   hei, now, now,
> A'r gof bach a'i wyneb þurddu, Migildi,
>   magildi, hei, now now,
> Yn yr efail yn þrysur chwythu, Migildi,
>   magildi, hei, now now!

'Blaengwern Brenin', y cob Cymreig a oedd yn Bencampwr yn Sioe Frenhinol Cymru, Llanelwedd yn 2004.

Yr Ehedydd
a'i Adar Bach

Addaswyd o Chwedl gan Aesop

Yn gynnar un gwanwyn, gwnaeth ehedydd ei nyth o fwsogl a gwreiddiau mewn cae o wenith ifanc. Deorodd yr wyau a thyfodd y cywion yn gryf. Felly, un diwrnod roedden nhw'n barod i hedfan a gadael y nyth am byth. Wrth iddyn nhw hedfan o gangen i gangen, yn chwilio am bryfed, roedd haul gwan y machlud yn eu goleuo.

Edrychodd Owen, mab y ffermwr dros y glwyd ar gae ei dad o wenith aeddfed ac meddai,

'Mae'n bryd i mi alw ar ein cymdogion i gyd, a gofyn iddyn nhw ein helpu ni i fedi'r cynhaeaf.'

Clywodd un ehedydd ifanc eiriau'r bachgen wrth iddo glwydo mewn clawdd drain gerllaw. Hedfanodd yn gyflym dros y gwenith gwyn i rybuddio ei fam.

LARK AND YOUNG ONES.

Plât wyth ochr o'r 19eg ganrif, gyda phrint wedi'i beintio o'r Ehedydd a'i Adar Bach wedi'i gopïo o ysgythriad gan Thomas Bewick.

'Paid â phoeni, fy mab,' atebodd yr ehedydd yn ddoeth. 'Os yw'r bachgen yn gofyn am help ei ffrindiau a'i gymdogion, dydy e ddim o ddifrif. Does dim rhaid i ni boeni eto.'

Aeth dyddiau heibio ac wrth i'r hydref nesáu, daeth barrug ysgafn dros nos. Dychwelodd Owen i'r glwyd. Gwelodd y grawn aeddfed yn cwympo o dywysennau trwm y gwenith, a meddai wrtho'i hun:

'Mae'n bryd medi'r gwenith. Yfory fe fyddaf i, fy nhad a'n gweision yma gyda'r wawr. Fe ddown ni â phob gweithiwr y gallwn ei gyflogi yn y pentref a medi'r cynhaeaf. Does dim amser i'w golli.'

Clywodd yr ehedydd a galwodd yr adar bach ati'n frysiog.

'Lw-lw-lw, adar bach, mae'n bryd i ni adael y nyth a chwilio am gysgod yng nghanghennau'r coed deri. Mae Owen, mab y ffermwr, o ddifrif nawr. Mae'n mynd i fedi'r caeau ei hun – wnaiff e ddim aros i'w gymdogion ei helpu.'

Neges y stori: *Os ydych chi eisiau cael gwaith wedi'i wneud, gwell peidio â dibynnu ar eraill a'i wneud eich hunan.*

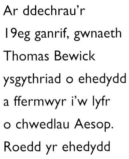

Nodyn natur:

Ar ddechrau'r 19eg ganrif, gwnaeth Thomas Bewick ysgythriad o ehedydd a ffermwyr i'w lyfr o chwedlau Aesop. Roedd yr ehedydd yn gyffredin ym mhob sir yng Nghymru bryd hynny. Erbyn hyn maen nhw'n brin ac yn anaml maen nhw i'w gweld yng ngogledd Cymru. Mae gaeafau oer y 1960au a cholli cynefin drwy blannu coedwigoedd a dulliau ffermio modern wedi lleihau'r niferoedd eto. *Lullula arborea* yw'r enw Lladin ar ehedydd y coed, oherwydd y sŵn 'lw-lw-lw' fel hwiangerdd sy'n rhan o'i chân.

Edrychwch ar y plât gyferbyn. Yn y llun fe welwch fod y ddau ddyn yn dal cryman yr un. Crymanau (llafnau crwm â charnau byrion) oedd yr offer llaw traddodiadol i dorri cnydau grawn am filoedd o flynyddoedd. Mae pladuriau (llafnau hir â charnau hir fel yn y llun yma) wedi cael eu defnyddio ers cyfnod y Rhufeiniaid i ladd gwair. Ond o'r 1950au ymlaen dechreuodd peiriannau lladd gwair a chynaeafu gymryd eu lle. Erbyn hyn, wrth gwrs, mae peiriannau combein a chynaeafwyr yn gallu clirio cae mewn ychydig oriau.

Marwnad yr Ehedydd

Mi a glywais fod yr hedydd
Wedi marw ar y mynydd;
Pe gwyddwn i mai gwir y geiriau
Awn â gyrr o wŷr ac arfau,
I gyrchu corff yr hedydd adra.

Y Cynhaeaf

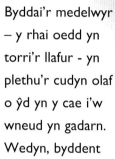

Cyfnod o ddathlu yw'r cynhaeaf – ond heddiw wrth gwrs mae angen i ni gofio am ffermwyr mewn gwledydd sy'n datblygu. Mae'n rhaid iddyn nhw frwydro yn erbyn tywydd gwael - naill ai sychder sy'n atal yr had rhag tyfu, neu lifogydd sy'n difetha'r cnydau. Ond mae pawb yn falch a diolchgar pan fydd y cynhaeaf wedi'i fedi, neu ei gasglu, yn llwyddiannus.

Mewn ardaloedd gwledig (nid yn unig ym Mhrydain, ond hefyd yn Ffrainc, Groeg, Norwy a'r Ffindir, er enghraifft) mae arferion arbennig sy'n gysylltiedig â'r cynhaeaf gan gynnwys caseg fedi. Tywysennau o ŷd wedi'u plethu'n syml oedd caseg fedi yn wreiddiol, ond erbyn hyn mae'n llawer mwy cymhleth.

HARVESTING

Byddai'r medelwyr – y rhai oedd yn torri'r llafur - yn plethu'r cudyn olaf o ŷd yn y cae i'w wneud yn gadarn. Wedyn, byddent yn sefyll mewn rhes ryw 15 metr i ffwrdd ac yn cymryd eu tro i daflu eu crymanau at y cudyn (y gaseg fedi) i weld pwy allai ei dorri. Ar ôl i'r cudyn gael ei dorri, byddai'r pencampwr yn canu hen rigwm:

Bore y codais hi,
Hwyr y dilynais hi,
Mi ces hi, mi ces hi!
Beth gest ti? Beth gest ti?
Pen medi bach mi ges!

Yng Ngorllewin Cymru byddai gweithwyr fferm ar ddwy ffarm gyfagos yn cystadlu â'i gilydd mewn timoedd i orffen cynaeafu. Bydden nhw'n chwarae triciau ar ei gilydd. Er enghraifft byddai'r rhedwr cyflymaf yn taflu caseg fedi yng nghae'r tîm arall, a rhedeg i ffwrdd. Ond petai'n cael ei ddal,

'Cau pen y mwdwl' – gorffen rhywbeth.
Roedd pentwr o wair (mwdwl) yn cael
ei roi at ei gilydd a'i blethu.

byddai mewn helynt. Gallai gael ei glymu o'i gorun i'w sawdl mewn gwellt, neu'i roi yn y nant agosaf!

Hen arfer arall oedd bod y prif fedelwr yn ceisio cael y gaseg fedi (neu'r 'wrach') yn ôl i'r ffermdy heb ei gwlychu. Byddai'r morynion a'u ffrindiau yn disgwyl amdano ac yn gwneud eu gorau glas i wlychu'r gaseg drwy daflu bwcedi a phadelli o ddŵr drosti. Wedyn byddai pawb yn bwyta swper y cynhaeaf. Os oedd y prif fedelwr wedi llwyddo i gadw'r wrach yn sych, byddai'n eistedd ar ben y ford; ond os oedd wedi methu a'r wrach yn wlyb, byddai'n rhaid iddo eistedd yn y pen pellaf! Dim rhyfedd bod rhai medelwyr yn ceisio mynd â'r wrach adref yn dawel bach wrth olau'r 'lleuad nawnos olau' neu'r 'lleuad fedi'. Lleuad arbennig o ddisglair yw hon ym mis Medi. Os oedd rhaid, byddai'r medelwyr yn gallu torri llafur yng ngolau'r lleuad hon drwy'r nos.

'Byddai pob gwrach o'r blynyddoedd cynt yn hongian o'r trawstiau uwchben ford y gegin. Roedd dyddiad ar bob un, ac enw'r un oedd wedi dod â hi adref, a hefyd a oedd hi'n wlyb neu'n sych ... Roedd y rhain yn cael eu hongian i atgoffa pawb am y blynyddoedd a fu.'

(Hen lawysgrif o Sir Benfro, a ysgrifennwyd ym 1899 i gofnodi digwyddiadau 50 mlynedd ynghynt.)

Heddiw rydym yn dal i ddathlu Gŵyl y Cynhaeaf mewn ysgolion. Gallwn ddiolch am ein 'bara beunyddiol' – bydd rhai'n dod â llysiau a ffrwythau o'u gerddi eu hunain. Weithiau bydd cystadlaethau am y foronen hiraf, neu'r bwmpen fwyaf. Mae nifer o gapeli ac eglwysi'n cynnal swper y cynhaeaf i bawb gael diolch a mwynhau cwmni ei gilydd ar yr un pryd.

Tu ôl i'r dorth mae'r blawd
Tu ôl i'r blawd mae'r felin
Tu ôl i'r felin draw ar y bryn
Mae cae o wenith melyn.

Ffermwyr Ifainc

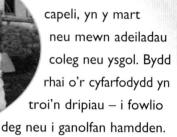

Clwb Ffermwyr Ifainc
Llys-y-frân yn barnu
stoc yn y 1930au.

Er na fydd pob plentyn yng nghefn gwlad Cymru yn dod yn ffermwr, mae'n bosib cael gwybod mwy am ffermio drwy ymuno â'r Ffermwyr Ifainc. Mae digon o weithgareddau ffermio i'w mwynhau – fel barnu stoc anifeiliaid a chneifio defaid. Ond mae llawer o weithgareddau eraill heb gysylltiad mor amlwg â'r wlad – dramâu, mabolgampau, yr eisteddfod flynyddol neu siarad cyhoeddus.

Mae 170 o Glybiau Ffermwyr Ifainc (CFfI) yng Nghymru, wedi'u rhannu'n Siroedd o Ynys Môn i Faesyfed. Mae bron i chwe mil o aelodau i gyd yng Nghymru, rhwng 10 a 26 oed. Byddant yn cwrdd yn rheolaidd mewn neuaddau CFfI, yn swyddfeydd Undebau'r Ffermwyr, mewn festrïoedd capeli, yn y mart neu mewn adeiladau coleg neu ysgol. Bydd rhai o'r cyfarfodydd yn troi'n dripiau – i fowlio deg neu i ganolfan hamdden.

Un rhan bwysig o raglen y flwyddyn yw clywed hanes aelodau'r CFfI sydd wedi teithio dramor. Bob blwyddyn mae'r CFfI yn noddi pobl ifainc i ymweld â gwledydd eraill o gwmpas y byd. Byddant yn cynrychioli Cymru yno ac yn dod adref â chyfoeth o brofiadau. Mae storïau rhyfeddol ganddynt i'w hadrodd a ffilmiau i'w dangos pan fyddant yn ymweld â chlybiau. Yn aml iawn bydd aelodau ifainc yn cael eu hysbrydoli i fynd ar deithiau tebyg eu hunain.

Dathlu llwyddiant gyda chwpanaid o de.

Ym mis Mai, bydd pob sir yn cynnal rali lle bydd digon o gyfle i gystadlu a chael hwyl. Bydd Brenhines y Rali'n cael lle blaenllaw gyda'i chriw o lawforynion hardd! Mae adrannau coginio a chrefft – gwneud masg, peintio bin ysbwriel neu goginio pryd o fwyd rhamantus. Neu beth am gystadlu ar ddawnsio, cystadlaethau hwyl neu fynd i'r llwyfan i esgus bod yn un o'r sêr . . . . Bydd yr enillwyr yn mynd ymlaen i'r Sioe Frenhinol ym mis Gorffennaf. Yma bydd y siroedd yn cystadlu yn erbyn ei gilydd am bedwar diwrnod ond yn ffrindiau bob nos ym Mhentref y Bobl Ifainc.

Brenhines y Rali –
Sir Gâr 1960, Ceredigion 2005.

Mae'r rhan fwyaf o glybiau'n paratoi llyfrau lloffion blynyddol i gofnodi hynt a helynt y flwyddyn – mae'r rhain yn cael eu cadw'n ddiogel yn archif y clwb. Gall hyn fod yn destun sbort os oedd eich rhieni, neu eich mam-gu/nain a thad-cu/taid yn y Clwb Ffermwyr Ifainc lleol o'ch blaen chi!

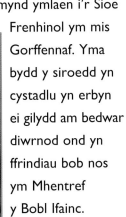

29

Ffwr, Plu a Bragu

Roedd y Nadolig yn adeg brysur ar y fferm, a gwaith ychwanegol fel plufio adar i'w gwerthu ym marchnadoedd y Nadolig. "Roedd pawb wrthi ganol mis Rhagfyr. Y gwaith caletaf oedd plufio sych, yn enwedig y gwyddau ... Er mwyn plufio'n wlyb, roedd rhaid rhoi côn dros ben pob twrci (fel na allen nhw weld ei gilydd), eu lladd nhw, wedyn eu rhoi nhw mewn peiriant â dŵr 125° F i feddalu'r plu. Mae boeler bach gyda fi yn y tŷ o hyd at y gwaith hwnnw. Roedd digon o hwyl i'w gael, a gwydraid o gwrw ar y llawr wrth eich ochr. Fe fydden ni'n eistedd â'r tyrcwn yn ein colau, a phlu ym mhobman ... fflwcs gwyn yn ein gwalltiau, ac yn y cwrw! Fydden ni ddim yn meddwl dim am blufio 200 o ieir a thyrcwn â llaw at y Nadolig. Wedyn bydden ni'n mynd â nhw i'r gegin i'w 'hagor', hynny yw, tynnu'r ymysgaroedd a'u gwneud nhw'n barod i'w gwerthu."
Myfanwy Williams, Tufton

Weithiau byddai hi'n bwrw eira, neu'n 'plufio', tua'r adeg yma hefyd. Byddai bwyd ychwanegol ar gyfer stiw i'w gael wrth ddal ffesantod a chwningod – trwy botsio neu eu dal yn gyfreithlon! Byddai diwedd y cynhaeaf yn adeg dda i'w dal, pan nad oedd ŷd ar ôl iddyn nhw guddio ynddo. Mewn rhai ardaloedd o Sir Ddinbych yng Ngogledd Cymru, roedd dynion yn arfer hela cwningod ar fore dydd Nadolig, 'pan oedd yr ŵydd yn coginio gartref'. O leiaf dyna esgus un dyn a gafodd ei ddal wrth hela!

Mae'r dydd yn ymestyn cam ceiliog ar ddydd Nadolig.

'Gwaddotwr Llanboidy' a beintiwyd tua 1900 gan James L Walters, fferyllydd y pentref, a'i hongian yn ei siop. William Thomas oedd y gwaddotwr, a'r torrwr beddau lleol hefyd.

Dywedodd wrth y llys ei fod wedi bod yn hela i gael pastai cwningod bob dydd Nadolig ers 45 mlynedd!

Mae gwahaddod neu dyrchod daear yn cael eu dal o hyd, er nad yw pobl yn prynu'r crwyn i wneud gwasgodau a sliperi erbyn hyn. Ar ddechrau'r 1900au, roedd y crwyn yn costio 2 swllt y dwsin (10c am 12) i fasnachwyr ffwr. Roedd angen 90 croen i wneud gwasgod ac roedden nhw hefyd yn cael eu defnyddio i leinio menig menywod.

"Dw i wedi bod yn dal gwahaddod ers pan oeddwn i'n fachgen tua 10 oed. Y gwaith caletaf oedd dal y wahadden gyntaf! A'r profiad mwyaf doniol ges i oedd ateb rhywun a ofynnodd sawl gwaith ro'n i wedi cael fy nghnoi. 'Ddim yn aml,' meddwn i, ac yn syth wedyn dyma fi'n cael fy nghnoi!

Y ffordd orau i ddal gwahaddod heddiw yw mewn 'trapiau lladd'. Dyma'r rhai mwyaf caredig os cân nhw eu defnyddio'n iawn. Ers llawer dydd roedd gwaddotwyr yn cael eu talu am bob gwahadden, neu bob blwyddyn. Roedd gwaddotwyr y plwyf yn cael eu talu bob

Hen waddotwr yn y 1920au yn gosod trap pren.

blwyddyn, £10.00 y plwyf, 10 swllt (50c) y fferm neu'r ystad bob blwyddyn – a'r llety hefyd weithiau." Jeff Nicholls, Gwaddotwr

Byddai cwrw cryf yn cael ei fragu'n arbennig i gadw pawb yn gynnes yn y gaeaf oer. Adeg gwyliau'r Nadolig, byddai'r ffermwyr a'r gweithwyr – a'r bechgyn ifainc hefyd – yn mynd o gwmpas y tai yn blasu'r cwrw cartref 'oedd yn cael ei gadw'n gynnes mewn padelli pres ym mhob ffermdy'n barod i'r rhai fyddai'n galw heibio'. Roedd medd yn ddiod arall boblogaidd mewn ffermdai. Roedd yn ddiod o fêl, hopys a burum, ond roedd rhaid ei gladdu mewn cae corslyd am o leiaf chwe mis. Roedd cwrw'n well – roedd yn barod i'w yfed adeg y Nadolig!

Bywyd Fferm

ⓗ y testun a'r detholiad: Chris S Stephens
ⓗ y dyfyniadau a'r lluniau: yr awduron a'r arlunwyr a nodir isod
ⓗ yr addasiad Cymraeg: Elin Meek 2007
Dyluniwyd gan Olwen Fowler

Argraffiad Cyntaf 2007
ISBN 978 1 84323 763 1

Gomer, Llandysul, Ceredigion SA44 4JL.

Argraffwyd yng Nghymru gan Gomer, Llandysul, Ceredigion SA44 4JL.

Cyhoeddwyd dan nawdd Cynllun Adnoddau Addysgu a Dysgu CBAC.

Lluniau Gwreiddiol:

Blaen ac ôl-ddalennau: Elizabeth Dyer; ceiliog (t.6): Suzanne Carpenter; y wrach a'r fuwch wen (t.9):
Graham Howells; y bugail a'r brain (t.16): Marcia Williams; bachgen i godi ofn ar y brain (t.17):
Graham Howells; croesi Afon Gwy (t.21): Brett Breckon; plufio (t.30): Jac Jones.

Cydnabyddiaethau

Dymuna'r awdur a'r cyhoeddwyr gydnabod caredigrwydd yr isod,
un ai am roi benthyg delweddau neu am ganiatáu atgynhyrchu delweddau yn y gyfrol hon:
Amgueddfa Werin Cymru, Sain Ffagan, nodau clust defaid (t.15); Jano Bevan, llun godro yn Llys-y-frân (t.10);
Rose Bowen, enillydd y clwb poni (t.22); CFfI Pont-siân, llyfrau lloffion (t.29); Ken Davies, marchnad Caerfyrddin (t.2),
gwneud menyn, Rhandir-mwyn (t.10), cneifio, Rhandir-mwyn (t.14), a Brenhines CFfI (t.29); Mostyn Davies, arwydd
tollborth Aberystwyth (t.20); Ifan Evans, teganau (t.25 a'r clawr); Gwasanaeth Amgueddfeydd Sir Benfro, corddwr
Llewellin (t.11); Gwasanaeth Amgueddfeydd Sir Gaerfyrddin, cawswasg (t.11) a gwaddotwr Llanboidy (t.31);
Dai Jones, reidio beic 4x4 (t.15); Ifor Lloyd, llun Christmas Griffith (t.14); Gerallt Llywelyn, defaid yn y farchnad (t.15);
Llyfrau Penguin am atgynhyrchu clawr *Worzel Gummidge* (t.19); Jeff Nichols, hen waddotwr (t.31); Bethan Owens,
Brenhines a morynion Rali CFfI Ceredigion (t.29); Mark Pickthall, 'Blaengwern Brenin' (t.23); Prifysgol Cymru Bangor
(Llyfrgell Cymraeg), Report of the Anglesey Agricultural Society (t.12); Swyddfa Cofnodion Sir Ddinbych, gefail Cynwyd
(t.4), ffair ddefaid Cynwyd (t.12) a Tan-y-castell, Rhuthun (t.22); Theatr y Torch, Aberdaugleddau, *The Hiring Fair* (t.13);
Liz Wilkinson, cob Cymreig, 'Aberaeron Black Knight' (t.22); Ysgol Astudiaethau Milfeddygol Frenhinol, Prifysgol
Caeredin, White Forrest Cow (t.8).

Diolch yn arbennig i Amgueddfa Arberth Cyf a Siop Hen Bethau Tim Bowen, Glanyferi am ystod o luniau ac am gael
benthyg arteffactau, ac i Roy Saer am ei wybodaeth ynghylch arferion di-rif a ffynonellau deunyddiau.

Gan nad oedd modd olrhain deiliaid hawlfraint pob un darlun, gwahoddir deiliaid i gysylltu â'r cyhoeddwyr
er mwyn eu cydnabod mewn unrhyw argraffiadau newydd o'r llyfr.